Prins Pom

Annemiek Neefjes
Tekeningen van Yvonne Jagtenberg

Zwijsen

Prins Pom

Prins Pom stormt het paleis uit.
'Ik wil niet!' roept hij.
'Ik wil niet!'
Hij rent naar de zee.
Hij gooit zich in het zand.
O, wat is hij boos.
Boos op zijn vader, koning Pom.
Koning Pom zei: 'Prinses Puh komt.
Ze wil met je trouwen.
Ze is mooi.
En ze zal lief zijn.
Dat heeft ze beloofd.'
Driftig gooit de prins kiezels in het water.
Hij wil een prinses die slim is en grappig.
En is prinses Puh dat?
Pfff, nee, denkt de prins.
Hij rilt.
Ze is ont-zet-tend stom.

Wat moet hij doen?
Hij kijkt om zich heen.
Voor hem ligt de zee.
Achter hem ligt het paleis.
De poort van het paleis is altijd op slot.
Want de prins mag niet op straat.
'Al die gevaren,' zegt de koning.
Prins Pom is zijn grootste schat.

Dan heeft de prins een idee.
Uit het paleis haalt hij pen en papier.
En een fles.
Hij schrijft een brief.
'Help!' schrijft hij.
'Ik wil niet met prinses Puh trouwen.
Ze komt over drie dagen!
Wie redt mij?
Ik beloon je.
Met de grootste schat van de koning.
Groetjes van prins Pom.'
Hij rolt de brief op.
De brief stopt hij in de fles.
Op de fles doet hij een kurk.
Daar gaat de fles.
Op de golven.

De dag is nu bijna om.
De zon wordt zo rood als een pompoen.
Langzaam verdwijnt ze in zee.
Dan is het nacht.
Stilletjes gaat de prins naar het paleis.
Wie zal de fles vinden?
Wie redt Pom?

Prinses Puh

'Schiet op!' brult prinses Puh.
'Geef me mijn mooiste jurk!
Pak mijn gouden laarsjes!
Borstel mijn lokken!
Au, niet zo hard!
Uit mijn ogen, meid!
Uit mijn paleis!
Ik wil je nooit meer zien!'
De hofdame rent huilend weg.
'Lekker puh!' roept de prinses haar na.

De prinses kijkt in de spiegel.
Ze aait haar haren.
Ze lacht naar zichzelf.
'Ik ben de mooiste,' zegt ze tegen de spiegel.
'Ik ben de grappigste.
Ik ben de slimste.
Lekker puh!'
Ze zucht tevreden.
'Pom is straks van mij.
Hij heeft een strand van goud.
En een zee vol diamanten.
Dat heb ik gehoord.'
Ze roept twee lakeien.
'Draag me naar de koets!
En snel een beetje!
Anders hangen jullie!'

Achter de koets staan twintig lakeien.
Op hun rug dragen ze reuze koffers.
Daar zitten tachtig jurken in.
Tweehonderd armbanden.
Vijftig paar schoenen.
Honderd knuffels.
En twaalf flesjes parfum.
'Voorwaarts!' schreeuwt de prinses.
'Op naar Pommeren!
Op naar mijn prins!'
Daar gaat de stoet.
De bergen in.

De reis van de fles

De fles van Pom is al ver op zee.
Op en neer gaat de fles.
Onder en boven water.
Een visser gooit zijn netten uit.
Hij vangt drie schelvissen.
En de fles.
'Hola hé, die hoef ik niet!' zegt de visser.
Hij gooit de fles terug in het water.

De fles reist verder.
Na een dag spoelt hij aan op een strandje.
Een jutter ziet de fles.
Hij legt hem op zijn handkar.
Bij een stuk touw.
Een kompas.
Een houten been.
En een grote tand van een haai.
De jutter loopt de bergen in.
Naar zijn huis.
Maar wat gebeurt er dan?
De fles rolt van de kar.
De jutter ziet het niet.
De fles valt in de struiken.
O nee!

Op dat moment brult een stem.
'Sneller, sneller!
Ik moet naar mijn prins!
Mijn stinkend rijke prins!'
Als dat Puh niet is.
De lakeien kermen.
Hun zolen zijn kapot.
Hun rug doet pijn.
De hele dag en nacht hebben ze gereisd.
Nu is het weer dag.
'Stop!' roept de prinses.
'Ik wil naar de wc!'
Maar hier is geen wc.
Hier zijn alleen maar struiken.
De prinses moet nodig.
Ze stapt uit de koets.
Ze kijkt om zich heen.
Dan loopt ze naar een struik.
'Omdraaien!' schreeuwt ze tegen de lakeien.
De lakeien grinniken.

Wat ziet ze daar liggen?
Een fles.
Er zit iets in.
Puh peutert het eruit.
Het is een brief, denkt ze.
Wat zou erin staan?
Ze kijkt naar de letters.
Maar ach.
De domme prinses kan niet lezen.
Nog eens kijkt ze naar de letters.
Nee, ze snapt er niks van.
Ze denkt: Kan een lakei lezen?
Zal ik het vragen?
Maar dat wil ze niet.
Stel je voor.
Dan weten ze dat hun prinses niet ...
Ze gromt van boosheid.
Wat moet ze nu?
Opnieuw kijkt ze naar het papier.
'Zeg het dan, brief!' roept ze.
'Zeg dan wat er in je staat!'
Maar de brief zegt niks.
Nijdig maakt de prinses een prop van het papier.
De prop gooit ze ver weg.
Hij rolt van de berg.
De prinses stapt weer in de koets.
'Tempo!'

Mar en Toef

De prop rolt verder en verder.
Tot in een diep dal.
Het is het Dal van Fluister.
Daar blijft de prop liggen.
Vlak bij een beekje.
Alles in het dal ruist en suizelt.
Luister maar.
'Een brief, een brief!' fluistert het water.
De wind fluit zacht: 'Voor wie?'
De bomen schudden hun takken.
'Wat maakt het uit?' zuchten ze.
'Hier komt toch nooit iemand.'

Maar kijk.
Wie zien we daar?
Dat is Mar met de Lange Benen.
En haar hondje Toef.
Mar en Toef zijn altijd op reis.
Toef blaft.
Hij hoort de wind en het water.
'Wat zeggen jullie?' vraagt hij.
'Is hier een brief?'
Driftig schudden de bomen hun takken.
Toef kijkt om zich heen.
Hij ziet de prop.

'Woef, waf!' blaft Toef.
'Wat is er Toef?' vraagt Mar.
Toef brengt haar de prop.
'Wat moet ik hiermee?' vraagt Mar.
Ze wil de prop weggooien.
Toef blaft opnieuw.
'Niet doen, Mar!'
Mar vouwt het papier open.
Nu ziet ze het.
Het is een brief.

Mar leest.
Ze zegt: 'Prins Pom?
Nooit van gehoord.'
Weer wil ze de brief weggooien.
Maar dan denkt ze: De prins is in nood.
Hij vraagt om hulp.
Wie weet kan ik hem redden.
Ze staat op.
Ze heeft zin in een nieuw avontuur.
'Kom!' zegt ze tegen Toef.
'We moeten sneller zijn dan Puh.'

De reis van Mar en Toef

Mar holt vlug als de wind.
Toef vliegt achter haar aan.
Ze klimmen over rotsen.
Ze springen over rivieren.
Dorp na dorp laten ze achter zich.
Het wordt nacht.
En weer ochtend.
Nog altijd rennen ze.
Dan zien ze in de verte de zee.
Het water glinstert.
'Dat moet Pommeren zijn,' zegt Mar.
Toef kwispelt blij.
Bijna zijn ze bij de prins.

'Opzij! Opzij!'
Mar ziet een koets aankomen.
De wielen ratelen luid.
'Opzij voor de mooiste!
Opzij voor de grappigste!
Opzij voor de slimste!
En straks ben ik ook nog de rijkste!
Lekker puh!'
Mar en Toef springen opzij.
Mar zegt: 'Daar heb je de prinses!
Achter haar aan!'

In het paleis

'Hu hu!' schreeuwt de prinses.
De koets en de koffers draven richting zee.
Mar en Toef stuiven erachter aan.
Het paleis is nu dichtbij.
Nog honderd passen.
Nog vijftig passen.
Nog tien passen.
Precies gelijk komen ze aan.
Mar en de prinses.
'Open die poort!' schreeuwt Puh.
'Ik ben er!
De mooiste, de liefste, de slimste!
Prinses Puh!'

De koning doet open.
Hij buigt beleefd.
'Welkom!' wil hij zeggen.
Maar Puh begint alweer.
'Breng mij kaviaar!
Zalm en zeekraal!
Zandkoekjes!
En schuimtaart!
NU!'
De koning trilt van schrik.
Is dit nu die lieve prinses Puh?

Moet Pom met haar trouwen?
Wat heeft hij zich vergist!
'Woef, woef!' hoort hij dan achter zich.
De koning kijkt om.

'Wie zijn jullie' vraagt de koning.
'Ik ben Mar,' zegt Mar.
'En dit is Toef.
Wij komen voor prins Pom.'
Daar komt Pom al.
Mar zegt: 'Prins, ik kom je redden.
Ik las je brief.
Je mag met me mee.'
De koning schrikt weer.
Hij zegt: 'Mijn zoon het paleis uit?
O nee, dat wil ik niet!'
Puh schreeuwt: 'Mar, ik heb jou door!
Jij wilt zijn paleis.
Jij wilt zijn goud.
Maar dat krijg je lekker niet.
Alles is straks van mij.
Lekker puh!'
Mar lacht.
Ze zegt tegen Puh:
'Mijn paleis is veel groter.
Mijn paleis is overal.
De sterren zijn mijn kroonluchters.
Het gras is mijn tapijt.
Mijn benen zijn mijn koets.
Ze brengen me overal.'
De prins glundert.
'Wat een leuk meisje!'

Iets raars

Pom rent naar zijn vader.
Hij vertelt van de brief in de fles.
Hij vraagt: 'Papa, wat is je grootste schat?'
De koning zegt: 'Dat ben jij, mijn prins.
Dat weet je toch?'
'Precies!' roept de prins.
'Ik ben je grootste schat.
De grootste schat is voor mijn redder.
Dat heb ik beloofd in de brief.
Mar is mijn redder.
Dus ...'
Puh stampvoet.
'Niks ervan!' roept ze.
'Jij bent van mij!
Van de aller ...'

Dan gebeurt er iets raars.
Puh loopt rood aan.
Ze wordt paars en groen.
'Van de aller ...'
Ze krimpt van woede.
'Van de aller ...'
Kleiner en kleiner wordt ze.
Ze krijgt bolle, boze oogjes.
Haar armen en benen groeien krom en scherp.

'Van de aller ...' roept ze nog één keer.
Haar rug wordt hard als een schild.
En dan ziet iedereen het.
Over de grond kruipt nu een krab.
Prinses Puh is weg.

Iedereen is doodstil.
Dan schaterlacht Mar.
En dan?
Dan barst iedereen in lachen uit.
Pom danst van pret.
De lakeien roepen vrolijk: 'Lekker puh!'
Toef jaagt de krab naar zee.
En de koning zegt:
'Pom, nooit zal ik meer zo dom zijn.'
Pom zoent zijn vader op zijn wang.
Hij zegt: 'Papa, ik wil op reis.
Ik wil het paleis van Mar zien.'
De koning knikt.
Hij vindt het goed.
'Kom Pom, kom Toef,' zegt Mar dan.
'We gaan.
Onze neus achterna!'